CB041476

© 1994 da edição por Aladdin Books Ltd, London
Título original: *Famous Children Picasso*
Tradução autorizada por Aladdin Books Ltd

© 1994 da edição por Callis Editora Ltda.
Todos os direitos reservados.
2ª edição, 2009
4ª reimpressão, 2022

Texto adequado às regras do novo Acordo Ortográfico da Língua Portuguesa

Coordenação editorial: Miriam Gabbai
Tradução e adaptação do original: Helena B. Gomes Klimes
Revisão: Ricardo N. Barreiros
Escaneamento e tratamento das imagens: Márcio Uva
Diagramação: Carlos Magno

CIP-BRASIL. CATALOGAÇÃO-NA-FONTE
SINDICATO NACIONAL DOS EDITORES DE LIVROS, RJ

H262p
2.ed.

Hart, Tony, 1925

    Picasso / Tony Hart e [ilustração] Susan Hellard ; [tradução e adaptação do original Helena B. Gomes Klimes]. - 2.ed. - São Paulo : Callis Ed., 2009. il. color. - (Crianças famosas)

Tradução de: *Famous Children Picasso*
ISBN 978-85-7416-460-1

    1. Picasso, Pablo, 1881-1973 - Infância e juventude - Literatura infantojuvenil. 2. Pintores - Espanha - Biografia - Literatura infantojuvenil. 3. Literatura infantojuvenil inglesa. I. Hellard, Susan. II. Klimes, Helena B. Gomes (Helena Botelho Gomes) III. Título. IV. Série.

09-5730.		CDD: 927.596
		CDU: 929:75.036(460)
04.11.09	12.11.09	016156

Índices para catálogo sistemático
1. Literatura infantil 028.5
2. Músicos: Literatura infantojuvenil 028.5

ISBN: 978-85-7416-460-1

Agradecimentos: Museu Picasso, Barcelona; Giraudon/Bridgeman Art Library; Roger Vlitos; The Design and Artists Copyright Society por toda a ajuda que ofereceram.

Impresso no Brasil

2022
Callis Editora Ltda.
Rua Oscar Freire, 379, 6º andar • 01426-001 • São Paulo • SP
Tel.: (11) 3068-5600 • Fax: (11) 3088-3133
www.callis.com.br • vendas@callis.com.br

Crianças Famosas

PICASSO

Tony Hart e Susan Hellard

Tradução: Helena B. Gomes Klimes

callis

Assim que Pablo Picasso nasceu, ele ficou tão quieto que a enfermeira pensou que estivesse morto.

O médico olhou tristemente para aquele pequeno pacotinho, tragou seu charuto e deu uma baforada de fumaça no rosto do bebê.

O pequeno Pablo fez uma enorme careta de desgosto e colocou para fora toda a sua raiva com um belo choro.

— Ah! Assim está melhor! — exclamou o médico  aliviado. O médico era tio de Pablo e se chamava Salvador. Assim que Pablo chorou, ele foi correndo contar as boas novas para a família Picasso!

Pablo Picasso nasceu em Málaga, no sul da Espanha, no dia 25 de outubro de 1881. Apesar daquele silencioso início de vida, Pablo foi um bebê forte e saudável.

A avó de Pablo e duas de suas tias viviam com a sua família. Elas mimavam seu "Pablito" e, por isso, o pequeno Pablo se acostumou a ser o centro das atenções desde os seus primeiros dias de vida.

Ele se sentava com as tias enquanto elas bordavam lindas fitas douradas que enfeitavam os chapéus dos homens que trabalhavam na ferrovia. Pablo adorava o complicado trabalho que elas faziam.

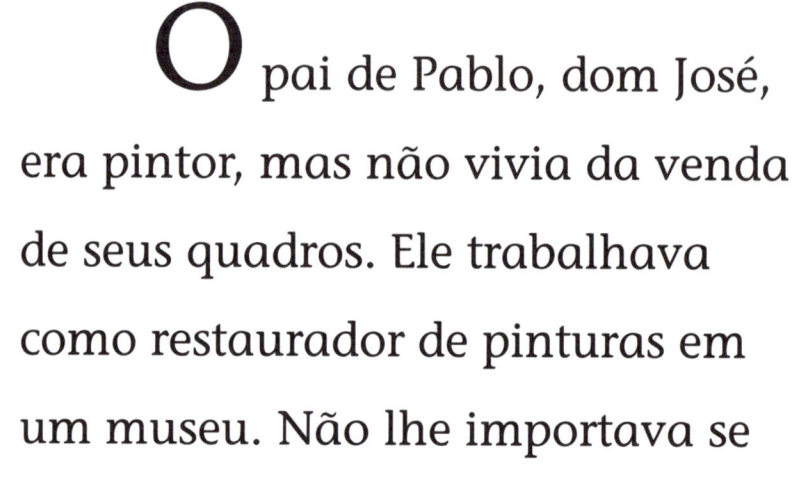

O pai de Pablo, dom José, era pintor, mas não vivia da venda de seus quadros. Ele trabalhava como restaurador de pinturas em um museu. Não lhe importava se ganhava pouco, pois podia usar o ateliê do museu para seus próprios trabalhos.

Dom José adorava criar pombas. E, desde que era bebê, Pablo via seu pai desenhando e pintando suas pombas, seu tema favorito.

Um dia, a mãe de Pablo, dona Maria, esperou ansiosamente dom José chegar em casa.

— Pablo disse sua primeira palavra hoje! Ele disse "lápis"!

Logo Pablo conseguiu desenhar espirais como as roscas que gostava de comer, e seus pais estavam muito orgulhosos de seus progressos.

— Veja! Ele não está engatinhando como um bebê, mas sim andando como um homem! — ria-se dom José enquanto Pablo ficava de pé, segurando-se em uma enorme lata de biscoitos.

Em uma noite de Natal, quando Pablo tinha três anos, houve um terremoto em Málaga. Assustado, seu pai decidiu que deveriam ir para um lugar mais seguro. Agarrou o pequeno Pablo, acomodando-o junto ao seu corpo, embaixo de sua capa. Dona Maria cobriu a cabeça com um lenço e seguiu o marido pelas ruas que desmoronavam.

Dom José levou-os para a segurança do ateliê de um amigo.

Lá, três dias depois, dona Maria deu à luz uma menina, Lola.

— É hora de ir para a escola, Pablito — mandou dona Maria.

— Mas eu não quero ir! Está muito escuro lá fora, e os professores são muito rígidos — respondeu Pablo, que só tinha cinco anos.

À força, dom José carregou Pablo para a escola. Mas, assim que a aula começou, Pablo correu para a janela esperando ver seu tio que morava bem em frente da escola. Pablo queria que seu tio fosse buscá-lo!

Desesperados, os pais de Pablo mandaram-no para uma escola diferente, mas ele continuava infeliz.

— Por que não posso ficar em casa e desenhar? — resmungava Pablo dia após dia.

— **V**enha ver, Pablo! Venha ver a nova irmãzinha que você e Lola ganharam! — disse dom José. — Nós a chamaremos Conchita!

Conchita era linda, pequena e com cabelos louros. Pablo passou a amá-la imediatamente. Ele tinha seis anos de idade.

Pablo passava horas fazendo desenhos para seus primos.

— O que vocês querem que eu desenhe? — perguntava.

— Um burro! — respondia Maria.

— Agora um para mim, mas começando pelas costas — pedia Concha.

Pablo pegou emprestada a tesoura de bordado de sua tia Eloísa para recortar figuras de animais, flores e pessoas.

8 anos

— Faça o recorte de um cachorro — pediam seus primos, e Pablo fazia um após outro, até ficar exausto.

Enquanto as outras crianças corriam pelo parque, Pablo fazia desenhos na areia. Frequentemente desenhava as pombas que ciscavam sob as árvores.

Pablo desenhava as coisas que via em sua casa.

— Desenharei um Hércules como aquele do corredor — disse decidido.

Ele fazia desenhos e pinturas das touradas que via. As touradas faziam parte da vida da Espanha, e dom José adorava vê-las.

Desde que começou a andar, Pablo ia às touradas com o pai, ver o famoso toureiro da época, El Lagartijo.

9 anos

— Hoje veremos o grande picador El Lagartijo — disse dom José animado.

As touradas eram, ao mesmo tempo, alegres e aterrorizantes.

— O touro já avançou contra o cavalo 20 vezes! — gritou Pablo.

Pablo se lembraria daquele dia pelo resto de sua vida.

8 anos

Quando Pablo completou nove anos, fez um exame para ser admitido na escola secundária.

— O que você sabe? — perguntou o examinador, que era amigo da família.

— Nada — respondeu Pablo.

O examinador pediu a Pablo que fizesse algumas contas de adição, mas deixou as respostas sobre a mesa.

Quando Pablo viu as respostas, logo imaginou que os números fossem parte de uma pomba!

"O pequeno olho de uma pomba é redondo como um 0...", pensou.

Pablo passou no exame.

Pablo ficou muito triste quando seu pai chegou em casa com a notícia de que iriam se mudar para Coruña, pois havia sido chamado para um novo emprego. Ele não queria deixar o sol e o céu azul pela chuva e neblina do norte do país.

— Sentirei falta do movimentado porto de Málaga — suspirou Pablo enquanto o pintava.

8 anos

Mas, para sua própria surpresa, Pablo adorou sua nova casa e logo estava correndo pelas ruas da cidade.

— Vamos brincar de tourada? — Pablo perguntava a seus novos amigos. E, usando seus casacos como capas, os meninos se alternavam no papel do temível touro.

Na nova escola, Pablo continuava a desenhar em seus cadernos. Fazia pombas, gatos e borrões de tinta que eram transformados em pessoas.

Frequentemente Pablo ficava de castigo no calabouço (um quarto fechado com apenas um banco) por não ter se concentrado na aula, mas sempre levava seu bloco de desenho...

"Isto não é um castigo, é um prazer", pensava.

Dom José era agora um professor de arte e, pouco antes de completar 11 anos, Pablo foi aceito como aluno na classe de seu pai.

Logo ele se gabava para o pai:

— Posso desenhar como Rafael, papai!

Pablo fazia um jornal para mandar a seus amigos de Málaga.

— Eu sou o editor, o ilustrador, o repórter e o diretor de meu próprio jornal — dizia orgulhoso.

12 anos

Com 12 anos, Pablo começou a pintar retratos. "Farei um diário de Lola acordando, indo dormir, ajudando mamãe, fazendo suas tarefas e brincando", decidiu Pablo.

12 anos

Mas a difteria chegou a Coruña, e a tão amada irmãzinha de Pablo, Conchita, adoeceu. A família olhava e aguardava. Pablo rezava. Conchita morreu aos sete anos de idade, e Pablo nunca se recuperou da tristeza de sua morte.

12 anos

Uma noite, dom José não conseguia terminar a pintura de uma pomba. Ele já não podia mais ver com a nitidez de que precisava.

— Você poderia terminar esta pintura para mim, Pablito? Os pés, principalmente — pediu dom José.

Quando voltou, dom José descobriu que Pablo tinha pintado tão lindamente que entregou sua paleta, seus pincéis e suas tintas para o filho.

— Meus dias como pintor se acabaram — disse.

A partir de então, o trabalho de Pablo evoluiu muito.

Com apenas 13 anos, Pablo decidiu mostrar seus trabalhos.

"Pedirei à loja de guarda-chuvas para expor minhas pinturas em sua vitrine", pensou.

Dom Ramón, um médico e político local, comprou algumas das pinturas e encorajou Pablo.

13 anos

13 anos

Algumas semanas após a exposição de Pablo, sua família mudou-se novamente. Dom José aceitou um novo cargo de professor em Barcelona. Pablo se inscreveu na escola de artes de lá. Seus novos colegas eram cinco anos mais velhos que ele, mas Pablo logo fez amigos, especialmente Manuel Pallares, que tinha 19 anos.

Um dia, Pablo e Manuel resolveram jogar pela janela do ateliê uma moeda amarrada a um barbante, que faziam "desaparecer" cada vez que alguém tentasse pegá-la.

Um senhor ficou tão furioso que foi até o ateliê dar uma bronca nos meninos, mas, quando viu as pinturas de Pablo, ficou tão impressionado que não conseguiu dizer nada!

Pablo Picasso continuou surpreendendo as pessoas de várias maneiras ao longo de sua vida. Ele se casou pela primeira vez quando tinha 80 anos e morreu aos 92, tendo se tornado o mais famoso artista do século XX. Ele fez milhares de pinturas que são agora exibidas pelo mundo todo.

Tony Hart nasceu na Inglaterra em 1925. O seu trabalho voltado para o ensino de artes para as crianças inspirou muitos artistas, ilustradores, designers e professores. Tony é conhecido também por ter apresentado inúmeros programas de TV.

Susan Hellard é uma hábil ilustradora com uma longa lista de livros para crianças. Mora em Londres e adora nadar. Possui um estilo de ilustração bem diversificado, abrangendo desde princesas até livros de receitas e projetos de cerâmica.